1580242585

中华人民共和国国家标准

烟囱可靠性鉴定标准

Standard for appraisal of reliability of chimneys

GB 51056-2014

主编部门：中 国 冶 金 建 设 协 会
批准部门：中华人民共和国住房和城乡建设部
施行日期：2 0 1 5 年 8 月 1 日

中国计划出版社

2014 北　　京

中华人民共和国国家标准
烟囱可靠性鉴定标准
GB 51056-2014
☆
中国计划出版社出版
网址:www.jhpress.com
地址:北京市西城区木樨地北里甲11号国宏大厦C座3层
邮政编码:100038 电话:(010)63906433(发行部)
新华书店北京发行所发行
三河富华印刷包装有限公司印刷

850mm×1168mm 1/32 2.75印张 67千字
2015年5月第1版 2015年5月第1次印刷
☆
统一书号:1580242·585
定价:17.00元

版权所有 侵权必究
侵权举报电话:(010)63906404
如有印装质量问题,请寄本社出版部调换

中华人民共和国住房和城乡建设部公告

第 597 号

住房城乡建设部关于发布国家标准《烟囱可靠性鉴定标准》的公告

现批准《烟囱可靠性鉴定标准》为国家标准,编号为GB 51056—2014,自 2015 年 8 月 1 日起实施。其中,第 3.1.1(1、2、3、4、5)条(款)为强制性条文,必须严格执行。

本标准由我部标准定额研究所组织中国计划出版社出版发行。

中华人民共和国住房和城乡建设部
2014 年 12 月 2 日

前　言

本标准是根据住房城乡建设部《关于印发〈2011年工程建设标准规范制订、修订计划〉的通知》(建标〔2011〕17号)的要求,由中冶建筑研究总院有限公司会同有关单位共同编制而成。

本标准共分14章和3个附录,主要技术内容包括:总则、术语和符号、基本规定、现状调查与检查、地基基础检测、筒壁与支承结构检测、内衬(筒)与隔热层检测、附属设施检测、腐蚀检测、结构分析与校核、鉴定评级、综合鉴定评级、鉴定报告、检测作业安全等。

本标准以黑体字标志的条文为强制性条文,必须严格执行。

本标准由住房城乡建设部负责管理和对强制性条文的解释,由中冶建筑研究总院有限公司负责具体技术内容的解释。本标准在执行过程中,请各单位结合工程实践总结经验,随时将意见和建议反馈到中冶建筑研究总院有限公司《烟囱可靠性鉴定标准》管理组(地址:北京市海淀区西土城路33号;邮政编码:100088),以供今后修订时参考。

本标准主编单位、参编单位、主要起草人和主要审查人:

主 编 单 位:中冶建筑研究总院有限公司

参 编 单 位:国家工业建构筑物质量安全监督检验中心
中国京冶工程技术有限公司
中冶东方工程技术有限公司
中国二十二冶集团有限公司
神华国华(北京)电力研究院有限公司
中国电力工程顾问集团华北电力设计院工程有限公司
中国电力工程顾问集团华东电力设计院工程有限公司
西安热工研究院有限公司

华能国际电力股份有限公司
大唐国际发电股份有限公司
东北电业管理局烟塔工程公司
大连顾德防腐工程有限公司
冀州市中意复合材料有限公司
河北衡兴环保设备工程有限公司
苏州云白环境设备制造有限公司
上海德昊化工有限公司

主要起草人：耿树江　张文革　席向东　朱丽华　李吉娃
　　　　　　周　浩　李永录　王永焕　杨建国　张兴斌
　　　　　　张大厚　牛春良　许嘉庆　韩　晶　李飒岩
　　　　　　蔡洪良　丹慧杰　张凌伟　孟庆庆　王利国
　　　　　　朱远江　郭全国　王云朋　姚应军　李国树
　　　　　　靳庆新　段威阳

主要审查人：端木祥　高小旺　田树桐　辛鸿博　高　日
　　　　　　王建文　李　勇　王　滨　冷　涛

目 次

1 总　　则 …………………………………………………… （ 1 ）
2 术语和符号 ………………………………………………… （ 2 ）
　2.1 术语 …………………………………………………… （ 2 ）
　2.2 符号 …………………………………………………… （ 3 ）
3 基本规定 …………………………………………………… （ 4 ）
　3.1 一般规定 ……………………………………………… （ 4 ）
　3.2 鉴定程序及其工作内容 ……………………………… （ 5 ）
　3.3 鉴定评级标准 ………………………………………… （ 8 ）
4 现状调查与检查 …………………………………………… （12）
　4.1 现状调查 ……………………………………………… （12）
　4.2 地基基础检查 ………………………………………… （12）
　4.3 筒壁（烟道壁）及支承结构检查 ……………………… （13）
　4.4 内衬（筒）与隔热层检查 ……………………………… （13）
　4.5 附属设施检查 ………………………………………… （14）
　4.6 防腐层检查 …………………………………………… （14）
5 地基基础检测 ……………………………………………… （15）
6 筒壁与支承结构检测 ……………………………………… （16）
　6.1 一般规定 ……………………………………………… （16）
　6.2 材料检测 ……………………………………………… （16）
　6.3 筒壁钢筋检测 ………………………………………… （17）
　6.4 垂直度、裂缝与变形检测 …………………………… （18）
7 内衬（筒）与隔热层检测 …………………………………… （19）
8 附属设施检测 ……………………………………………… （20）
9 腐蚀检测 …………………………………………………… （21）

9.1 混凝土烟囱腐蚀检测 ……………………………………（21）
9.2 钢烟囱(钢内筒)腐蚀检测 ………………………………（21）
9.3 砖烟囱腐蚀检测 …………………………………………（22）
9.4 玻璃钢烟囱腐蚀检测 ……………………………………（22）
9.5 防腐蚀层腐蚀检测 ………………………………………（22）
10 结构分析与校核 ………………………………………………（24）
11 鉴定评级 ………………………………………………………（26）
  11.1 地基基础 ………………………………………………（26）
  11.2 筒壁 ……………………………………………………（28）
  11.3 内衬与隔热层 …………………………………………（31）
  11.4 附属设施 ………………………………………………（31）
  11.5 腐蚀评定 ………………………………………………（32）
12 综合鉴定评级 …………………………………………………（34）
13 鉴定报告 ………………………………………………………（35）
14 检测作业安全 …………………………………………………（36）
  14.1 检测人员 ………………………………………………（36）
  14.2 安全措施 ………………………………………………（36）
附录A 单筒式钢筋混凝土烟囱结构耐久性年限评估 ……（38）
附录B 烟囱防腐层耐久性评估 …………………………………（42）
附录C 单个构件的划分 …………………………………………（44）
本标准用词说明 ……………………………………………………（45）
引用标准名录 ………………………………………………………（46）
附：条文说明 ………………………………………………………（47）

Contents

1 General provisions ······································ (1)
2 Terms and symbols ···································· (2)
   2.1 Terms ··· (2)
   2.2 Symbols ··· (3)
3 Basic requirments ······································ (4)
   3.1 General requirements ····························· (4)
   3.2 Appraisal procedures and working contents ·········· (5)
   3.3 Standard for assessment ··························· (8)
4 Investigation and inspection of existing state ··········· (12)
   4.1 Investigation ······································ (12)
   4.2 Inspection of soil and foundation ··················· (12)
   4.3 Inspection of shell (fule wall) and support structure ········ (13)
   4.4 Inspection of lining and insulation ·················· (13)
   4.5 Inspection of attachment ··························· (14)
   4.6 Inspection of anticorrosion ························· (14)
5 Test of soil and foundation ····························· (15)
6 Test of shell and support structure ····················· (16)
   6.1 General requirements ····························· (16)
   6.2 Materials testing ·································· (16)
   6.3 Test of rebar ····································· (17)
   6.4 Test of inclining, crack and deformation ············· (18)
7 Test of lining and insulation ···························· (19)
8 Test of attatchment ···································· (20)
9 Test of corrosion ······································ (21)

9.1　Corrosion test of concrete chimney ……………………… (21)
9.2　Corrosion test of steel chimney ………………………… (21)
9.3　Corrosion test of brick chimney ………………………… (22)
9.4　Corrosion test of fiber reinforced plastics chimney ……… (22)
9.5　Corrosion test of anticorrosion ………………………… (22)
10　Structural analysis and check …………………………… (24)
11　Assessment ………………………………………………… (26)
　11.1　Soil and foundation …………………………………… (26)
　11.2　Shell …………………………………………………… (28)
　11.3　Lining and insulation ………………………………… (31)
　11.4　Attachment …………………………………………… (31)
　11.5　Assessment of corrosion ……………………………… (32)
12　Comprehensive assessment ……………………………… (34)
13　Report for assessment …………………………………… (35)
14　Security for testing ……………………………………… (36)
　14.1　Testing personnel …………………………………… (36)
　14.2　Security measures …………………………………… (36)
Appendix A　Durability appraisal of single tube
　　　　　　reinforced concrete chimney ……………… (38)
Appendix B　Durability appraisal of chimney
　　　　　　anticorrosion ………………………………… (42)
Appendix C　Division of a single member ………………… (44)
Explantion of wording in this standard …………………… (45)
List of quoted standards …………………………………… (46)
Addition:Explanation of provisions ………………………… (47)

1 总　　则

1.0.1 为加强对既有烟囱的安全与合理使用的技术管理,正确鉴定烟囱的可靠性,制定本标准。

1.0.2 本标准适用于下列既有烟囱及烟道的可靠性鉴定:
  1 钢筋混凝土烟囱及烟道;
  2 钢烟囱及烟道;
  3 砖烟囱及烟道;
  4 玻璃钢烟囱及烟道。

1.0.3 抗震设防区和其他抗灾设防区、特殊地基土地区、特殊环境或灾害后的烟囱的可靠性鉴定,除应执行本标准外,尚应符合国家现行有关标准的规定。

2 术语和符号

2.1 术　　语

2.1.1 既有烟囱　existing chimney

已存在的、用于排放烟气的高耸构筑物,包括烟囱筒身及其附属设施等。

2.1.2 烟道　flue

排烟系统的一部分,用以将烟气导入烟囱。

2.1.3 可靠性鉴定　appraisal of reliability

对既有烟囱的安全性、正常使用性和腐蚀性所进行的调查、检测、分析验算和评定等一系列活动。

2.1.4 专项鉴定　special appraisal

针对烟囱结构的专项问题或按照特定要求所进行的鉴定。

2.1.5 目标使用年限　target working life

鉴定烟囱所期望的后续使用年限。

2.1.6 调查　investigation

通过查阅文件、进行现场观察和询问等手段进行信息收集。

2.1.7 检查　inspection

对烟囱结构的现状进行的详细查看。

2.1.8 检测　test

对烟囱结构的状况或性能所进行的测量和检验等工作。

2.1.9 评定　assessment

根据检查、检测和分析验算结果,对烟囱结构的安全性和正常使用性按照规定的标准和方法所进行的评价。

2.1.10 评定项目　items of assessment

用于评定烟囱及其组成部分可靠性的项目。

2.1.11 鉴定单元　appraisal unit

烟囱的单元可划分为烟囱筒身和烟道两个单元。

2.1.12 结构系统　structure system

鉴定单元中根据结构的不同使用功能所细分的鉴定单位，一般可按地基基础、筒壁及支承结构、内衬（筒）与隔热层、附属设施划分为四个结构系统。

2.1.13 构件　member

结构系统中可以进一步细分的鉴定单位。

2.1.14 主要构件　dominant member

其自身失效将导致其他构件失效并危及承重结构系统安全工作的构件，或直接影响生产运行的构件。

2.1.15 次要构件　less important member

其自身失效为孤立事件，不会导致其他构件失效，并不直接影响生产运行的构件。

2.2　符　　号

a、b、c、d——构件的可靠性评定等级；

A、B、C、D——结构系统的可靠性评定等级；

一、二、三、四——鉴定单元的可靠性评定等级。

3 基本规定

3.1 一般规定

3.1.1 烟囱在下列情况下,应进行可靠性鉴定：

1 存在严重的质量缺陷或出现严重的腐蚀、渗漏、损伤、变形时；

2 超过设计使用年限或目标使用年限,拟继续使用时；

3 使用条件或使用环境改变,对烟囱安全性不利时；

4 需要进行全面、大规模维修时；

5 遭受严重灾害或事故后,需要继续使用时；

6 进行工艺改造或改建时；

7 其他需要掌握烟囱可靠性水平时。

3.1.2 烟囱在下列情况下,宜进行专项鉴定：

1 进行维修改造有专门要求时；

2 存在局部损伤影响其正常使用时；

3 对防腐层的完好性、耐久性存在疑问时；

4 挡烟墙、积灰平台、排烟筒、支承结构烟道等结构受到一般腐蚀或存在其他问题时；

5 耐久性评估时；

6 对可靠性存在疑问时。

3.1.3 鉴定时可按烟囱整体、烟囱筒身或烟道单元进行鉴定。

3.1.4 烟囱的目标使用年限,应根据烟囱的使用历史、使用现状和今后的维修使用计划,由委托方和鉴定方共同商定。对鉴定对象的不同鉴定单元,可确定不同的目标使用年限。

3.1.5 单筒式钢筋混凝土烟囱结构耐久性年限评估可按本标准附录 A 执行,烟囱防腐层耐久性评估可按本标准附录 B 执行。

3.2 鉴定程序及其工作内容

3.2.1 烟囱可靠性鉴定,宜按下列框图规定的程序(图 3.2.1)进行。

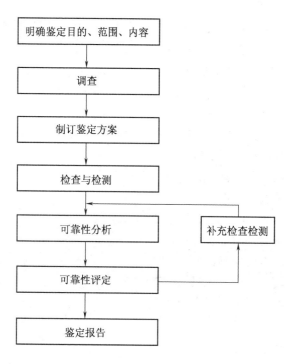

图 3.2.1 可靠性鉴定程序

3.2.2 烟囱鉴定的目的、范围和内容,应根据委托方提出的鉴定原因、要求以及烟囱的现状确定。

3.2.3 调查宜包括下列基本工作内容:

1 查阅图纸资料,包括工程地质勘察报告、竣工图、竣工资料、检查观测记录、维修记录、历次鉴定加固和改造的图纸和资料、事故处理报告等。

2 调查烟囱的历史情况,包括施工、维修、加固、改造、用途变更、使用条件改变以及受灾害等情况。

　　3 考察现场,包括调查烟囱的基本情况、实际状况、使用条件、内外环境、运行记录,查看目前已发现的问题,调查或听取有关人员的意见等。

3.2.4 鉴定方案应根据鉴定对象的特点和调查结果、鉴定目的和要求制订,包括检测鉴定的依据、工作内容和方法、工作进度计划及需要委托方完成的准备工作等。

3.2.5 检查与检测宜根据实际需要,选择下列工作内容：

　　1 核查相关文件资料；

　　2 烟囱材料实际性能检测分析；

　　3 烟囱材料腐蚀检测分析；

　　4 地基基础检查、检测；

　　5 承重结构检查、检测；

　　6 内衬(筒)与隔热层检查、检测；

　　7 附属设施检查、检测；

　　8 防腐层检查。

3.2.6 可靠性分析应根据检查与检测结果进行,包括结构承载力分析与验算,烟囱的安全性和正常使用性分析,所存在的缺陷、腐蚀和损伤等问题的原因分析。

3.2.7 在烟囱可靠性鉴定中,发现检查或检测资料不足或不准确时,应及时进行补充检查或检测。

3.2.8 烟囱的可靠性鉴定评级,应划分为构件、结构系统、鉴定单元三个层次；其中结构系统和构件两个层次的鉴定评级,应包括安全性、正常使用性、腐蚀性的等级评定,需要时可由此综合评定其可靠性等级；安全性分四个等级,正常使用性、腐蚀性分三个等级,各层次的可靠性分四个等级,并应按表3.2.8烟囱可靠性鉴定评级的层次、等级划分及项目内容规定的评定项目,分层次进行评定。当不要求评定可靠性等级时,可直接给出安全性、正常使用性或腐蚀性等级评定结果。

表 3.2.8 烟囱可靠性鉴定评级的层次、等级划分及项目内容

层次	Ⅰ	Ⅱ			Ⅲ
层名	鉴定单元	结构系统			构件
可靠性鉴定	等级 一、二、三、四 烟囱筒身或烟道	安全性评定	等级	A、B、C、D	a、b、c、d
			地基基础	地基变形、斜坡稳定性	—
				承载力	—
			筒壁(烟道壁)及支承结构	承载能力	承载能力
				构造和连接	构造和连接
			内衬(筒)与隔热层	承载能力、构造连接	—
			附属设施	承载能力、构造连接	—
		正常使用性评定	等级	A、B、C	a、b、c
			地基基础	影响上部结构正常使用的地基变形	—
			筒壁(烟道壁)及支承结构	使用状况	损伤、裂缝、倾斜
				位移	—
			内衬(筒)与隔热层	使用状况	—
			附属设施	功能与状况	—
		腐蚀性评定	等级	A、B、C	a、b、c
			地基基础、筒壁(烟道壁)及支承结构、内衬(筒)与隔热层、附属设施	功能与使用状况	—

注:单个构件划分方法按本标准附录 C 执行。

3.2.9 专项鉴定的工作程序可按可靠性鉴定程序,但鉴定程序的工作内容应符合专项鉴定的要求。

3.2.10 烟囱可靠性鉴定(包括专项鉴定)报告的编写应符合本标准第 13 章的要求。

3.3 鉴定评级标准

3.3.1 结构构件和结构系统的安全性、正常使用性、腐蚀性、可靠性的等级鉴定评级标准应按下列规定进行。

  1 烟囱结构的构件和结构系统的安全性鉴定评级的各层次分级标准,应按表 3.3.1-1 的规定采用。

表 3.3.1-1 构件和结构系统的安全性鉴定评级各层次分级标准

层次	鉴定对象	等级	分级标准	处理要求
Ⅲ	构件	a	符合国家现行标准规范的安全性要求,安全	不必采取措施
		b	略低于国家现行标准规范的安全性要求,仍能满足结构安全性的下限水平要求,不影响安全	可不必采取措施
		c	不符合国家现行标准规范的安全性要求,影响安全	应采取措施
		d	严重不符合国家现行标准规范的安全性要求,已严重影响安全	必须立即采取措施
Ⅱ	结构系统	A	符合国家现行标准规范的安全性要求,不影响整体安全	个别不符合要求的次要构件宜采取适当措施
		B	略低于国家现行标准规范的安全性要求,仍能满足结构安全性的下限水平要求,尚不显著影响整体安全	极少数不符合要求的构件应采取措施
		C	不符合国家现行标准规范的安全性要求,影响整体安全	应采取措施,且极少数不符合要求的构件必须立即采取措施

续表 3.3.1-1

层次	鉴定对象	等级	分级标准	处理要求
Ⅱ	结构系统	D	严重不符合国家现行标准规范的安全性要求,已严重影响整体安全	必须立即采取措施

2 烟囱结构的构件和结构系统的正常使用性鉴定评级的各层次分级标准,应按表 3.3.1-2 的规定采用。

表 3.3.1-2 构件和结构系统的正常使用性鉴定评级各层次分级标准

层次	鉴定对象	等级	分级标准	处理要求
Ⅲ	构件	a	符合国家现行标准规范的正常使用要求,在目标使用年限内能正常使用	不必采取措施
Ⅲ	构件	b	略低于国家现行标准规范的正常使用要求,在目标使用年限内尚不明显影响正常使用	可不采取措施
Ⅲ	构件	c	不符合国家现行标准规范的正常使用要求,在目标使用年限内明显影响正常使用	应采取措施
Ⅱ	结构系统	A	符合国家现行标准规范的正常使用要求,在目标使用年限内不影响整体正常使用	个别不符合要求的次要构件宜采取适当措施
Ⅱ	结构系统	B	略低于国家现行标准规范的正常使用要求,在目标使用年限内尚不明显影响整体正常使用	极少数不符合要求的构件应采取措施
Ⅱ	结构系统	C	不符合国家现行标准规范的正常使用要求,在目标使用年限内明显影响整体正常使用	应采取措施

3 烟囱结构的构件和结构系统的可靠性鉴定评级的各层次

分级标准,应按表 3.3.1-3 的规定采用。

表 3.3.1-3 构件和结构系统的可靠性鉴定评级各层次分级标准

层次	鉴定对象	等级	分级标准	处理要求
Ⅲ	构件	a	符合国家现行标准规范的可靠性要求,安全,在目标使用年限内能正常使用或尚不明显影响正常使用	不必采取措施
		b	略低于国家现行标准规范的可靠性要求,仍能满足结构可靠性的下限水平要求,不影响安全,在目标使用年限内能正常使用或尚不明显影响正常使用	可不采取措施
		c	不符合国家现行标准规范的可靠性要求,或影响安全,或在目标使用年限明显影响正常使用	应采取措施
		d	严重不符合国家现行标准规范的可靠性要求,已严重影响安全	必须立即采取措施
Ⅱ	结构系统	A	符合国家现行标准规范的可靠性要求,不影响整体安全,在目标使用年限内不影响或不明显影响整体正常使用	个别不符合要求的次要构件宜采取适当措施
		B	略低于国家现行标准规范的可靠性要求,仍能满足结构可靠性的下限水平要求,尚不显著影响整体安全,在目标使用年限内不影响或尚不显著影响整体正常使用	极少数不符合要求的构件应采取措施
		C	不符合国家现行标准规范的可靠性要求,或影响整体安全,或在目标使用年限内影响整体正常使用	应采取措施,且极少数不符合要求的构件必须立即采取措施
		D	严重不符合国家现行标准规范的可靠性要求,已严重影响整体安全	必须立即采取措施

3.3.2 烟囱结构系统的腐蚀鉴定评级的各层次分级标准,应按表3.3.2的规定采用。

表 3.3.2 烟囱结构系统的腐蚀鉴定评级各层次分级标准

层次	鉴定对象	等级	分级标准	处理要求
Ⅱ	结构系统	A	符合国家现行标准规范的正常使用要求,在目标使用年限内不影响整体正常防腐功能	可继续正常使用
		B	略低于国家现行标准规范的正常使用要求,在目标使用年限内尚不明显影响整体正常防腐功能	极少数不符合要求的构件应采取措施,防腐系统局部需要维修更换
		C	不符合国家现行标准规范的正常使用要求,在目标使用年限内明显影响整体正常防腐功能	应采取措施或防腐系统进行整体更新

3.3.3 烟囱鉴定单元的可靠性综合评级标准,应按表3.3.3的规定采用。

表 3.3.3 烟囱鉴定单元的可靠性综合鉴定评级标准

层次	鉴定对象	等级	分级标准	处理要求
Ⅰ	鉴定单元	一	符合国家现行标准规范的可靠性要求,不影响整体安全,在目标使用年限内不影响整体正常使用	极少数不符合要求的次要构件宜采取适当措施
		二	略低于国家现行标准规范的可靠性要求,仍能满足结构可靠性的下限水平要求,尚不明显影响整体安全,在目标使用年限内不影响或尚不明显影响整体正常使用	极少数不符合要求的构件应采取措施,极个别不符合要求的次要构件必须立即采取措施
		三	不符合国家现行标准规范的可靠性要求,影响整体安全,在目标使用年限内明显影响整体正常使用	应采取措施,极少数不符合要求的构件必须立即采取措施
		四	严重不符合国家现行标准规范的可靠性要求,已严重影响整体安全	必须立即采取措施

4 现状调查与检查

4.1 现状调查

4.1.1 现状调查应包括原始资料、结构上的作用、运行环境和使用历史四个部分。

4.1.2 原始资料调查应包括工程概况、原设计图、竣工图及地质勘查报告、沉降观测记录、工程施工及验收文件。

4.1.3 结构上的作用调查应包括永久作用、可变作用和偶然作用等,并应考虑在目标使用年限内可能发生的变化。

4.1.4 结构上的作用标准值应按下列规定取值:

1 经调查符合现行国家标准《建筑结构荷载规范》GB 50009、《烟囱设计规范》GB 50051 对应取值者,应按规范选用;

2 当现行国家标准《建筑结构荷载规范》GB 50009、《烟囱设计规范》GB 50051 未作规定或按实际情况难以直接选用时,可根据现行国家标准《建筑结构可靠度设计统一标准》GB 50068 有关的规定确定。

4.1.5 运行环境调查应包括烟气腐蚀性、烟气温度、燃料性质、大气环境等。对严寒和寒冷地区、有盐地区的烟囱尚应进行冻害和氯盐侵蚀的调查。

4.1.6 使用历史调查应包括烟囱的设计与施工、使用时间、鉴定维修与加固、改造以及受灾和事故等情况。

4.2 地基基础检查

4.2.1 地基检查应包括下列项目:

1 场地类别、地基土质及地下水情况;

2 地基稳定性及地基不均匀沉降造成的上部结构明显的倾

斜、变形、裂缝等缺陷；

　　3 地基土的腐蚀性,是否存在有害液体渗入以及腐蚀性物质对基础的影响、损坏程度等；

　　4 筒身与烟道的差异沉降；

　　5 地面散水的现状；

　　6 邻近建（构）筑物、地下工程和管线等情况及其相互影响；

　　7 地基的岩土性能标准值和地基承载力特征值。

4.2.2 基础检查应包括下列项目：

　　1 通过查阅图纸资料,检查基础的类型、材料性能、尺寸及埋深;当资料不足时,可开挖检查。

　　2 必要时,可通过开挖检查基础的变位、开裂、腐蚀或损坏情况。

4.3 筒壁（烟道壁）及支承结构检查

4.3.1 混凝土筒壁（烟道壁）及支承结构,应检查变形、裂缝、腐蚀、露筋、保护层剥落情况。

4.3.2 钢筒壁（烟道壁）及支承结构,应检查变形、涂层、腐蚀、连接情况；对套筒式烟囱的筒壁,还应检查内外筒的连接现状。

4.3.3 砖烟囱筒壁（烟道壁）,应检查砌体的变形、裂缝、腐蚀、风化、缺损情况。

4.3.4 玻璃钢烟囱防腐层,应检查外表面、关键应力区、活动部件、内表面积灰等。

4.4 内衬（筒）与隔热层检查

4.4.1 内衬应检查破损、开裂、腐蚀、变形、构造、连接、浇筑或砌筑质量等。

4.4.2 内筒应检查破损、腐蚀、变形、构造、连接和涂装情况。

4.4.3 隔热层应检查材料种类、填充、腐蚀情况。

4.5 附属设施检查

4.5.1 爬梯和平台应检查完整性、变形、锈蚀、与主体的连接锚固情况。

4.5.2 航空障碍灯和航空标志应检查航空障碍灯工作状态,航空标志涂层起皮、破损、褪色情况。

4.5.3 避雷装置应检查完整性、腐蚀情况及连接的可靠性。

4.5.4 烟道口应检查腐蚀、漏烟、渗液情况。

4.5.5 烟囱顶部应检查破损、腐蚀、裂缝、露筋、保护层剥落情况。

4.6 防腐层检查

4.6.1 发泡块材类防腐层,应检查粘接剂的饱满度、老化、腐蚀、开裂情况。

4.6.2 聚合物防腐蚀层,应检查表面纤维外露、局部渗漏、酸液反渗、老化及完整性情况。

4.6.3 耐腐蚀合金防腐层,应检查焊缝、表面匀质性、局部缺陷情况。

5 地基基础检测

5.0.1 地基的岩土物理力学参数和地基承载力特征值,应根据设计及地勘报告等资料按国家现行有关标准的规定取值。当基本资料不足时,可根据国家现行有关标准的规定,对场地地基进行补充勘察。

5.0.2 基础的类型和材料性能,应通过查阅图纸资料确定。当资料不足时,可开挖基础检查,验证基础的种类、材料、尺寸及埋深,检查基础变位、开裂、腐蚀或损坏程度等,并应通过检测评定基础材料的强度等级。当地基土受到腐蚀影响时,尚应检测基础混凝土腐蚀厚度。

5.0.3 当地基土存在腐蚀渗透现象时,应对地基土中腐蚀物的含量进行检测,并应对腐蚀渗透深度进行测量。

5.0.4 当烟囱存在下沉、倾斜变形等情况时,还应对地基基础的沉降量和沉降稳定情况、与烟道的沉降差、上部结构倾斜、沉降裂缝等情况进行检测。

6 筒壁与支承结构检测

6.1 一般规定

6.1.1 结构材料性能的检测,当图纸资料有明确说明时,可进行现场抽检验证;当图纸资料不全或有怀疑时,应按国家现行有关检测技术标准的规定,通过现场取样或现场测试进行检测。

6.1.2 结构或构件几何尺寸的检测,当图纸资料齐全完整时,可进行现场抽检复核;当图纸资料不全或无图纸资料时,应对结构或构件进行现场测量。

6.1.3 烟囱筒身应进行垂直度检测,当地基有明显问题时应进行沉降观测。

6.1.4 制作和安装偏差、材料和施工缺陷,应根据国家现行相关标准检测。

6.1.5 结构构件的损伤,应在其外观全数检查的基础上,对其中损伤严重的构件进行详细检测。

6.1.6 存在下列情况宜对烟囱的结构动力特性进行现场检测。

1 烟囱高度超过60m;

2 烟囱结构存在严重损伤、变形;

3 其他需要对烟囱结构动力特性进行专项检测时。

6.2 材料检测

6.2.1 混凝土强度的检测宜采用回弹法、超声回弹综合法、钻芯修正法或其他有效方法确定,并应符合国家现行有关检测技术标准的规定。

1 检测混凝土强度时,宜将相同设计强度的筒壁作为一个检测批,烟囱每节作为单独构件考虑;

2 受到环境侵蚀或遭受火灾、高温等影响的构件,其混凝土强度应采用钻芯法检测。

6.2.2 砌体强度检测,应符合下列要求:

1 应对砌块和砂浆强度分别进行检测;

2 砌块强度可采用取样法、回弹法或现场原位的方法检测;

3 砌筑砂浆强度可采用非破损的方法检测,必要时可采用取样方法进行检测。

6.2.3 钢筒和钢构件应进行下列检测:

1 应对钢筒和钢构件材料的强度进行检测,其方法可采用表面硬度法或其他方法;

2 严重受锈蚀或过火等影响钢材的力学性能的,宜采用取样的方法检测;

3 应现场核对钢筒和钢构件的几何尺寸,对于锈蚀严重的钢筒和钢构件,应按实际测量的几何尺寸进行承载力核算;

4 钢筒和钢构件外表面防腐涂层应进行外观质量检查和涂层厚度检测,涂层厚度可采用涂层厚度测定仪检测,量测方法及评定标准应符合国家现行有关检测技术标准的规定。

6.2.4 玻璃钢构件应进行壁厚及内部缺陷检测。内部缺陷检测应包括下列内容:

1 内部气泡的大小、深度及其分布;

2 树脂未浸透玻璃纤维缺陷的尺寸、深度及其分布;

3 关键应力区应力开裂的尺寸、深度及其分布;

4 活动部件出现开裂的尺寸、深度及其分布。

6.3 筒壁钢筋检测

6.3.1 钢筋混凝土筒壁应对钢筋位置、保护层厚度、直径、数量等项目进行检测。

6.3.2 钢筋位置、保护层厚度和钢筋数量,可采用非破损的雷达法或电磁感应法进行检测,并宜凿开混凝土进行钢筋直径或保护层厚度的验证。

6.4 垂直度、裂缝与变形检测

6.4.1 烟囱筒体垂直度测量应测定倾斜程度和倾斜方向。

6.4.2 烟囱筒壁结构裂缝可采用目测或仪器测量的方法检测;烟囱结构质量检查时检测数量应为全部筒壁。

 1 混凝土和砖筒壁裂缝检测项目应包括位置、长度、宽度、深度、走向和数量;对于仍在发展的裂缝应进行定期观测,提供裂缝发展速度的数据。

 2 钢筒壁构件焊缝的裂纹,可采用磁粉探伤法、超声法、渗透法、X射线法进行检测。

6.4.3 烟囱应对整体变形进行检测,有明显变形的构件需对其局部变形进行检测。

6.4.4 烟囱外观如有明显损伤,应对损伤部位进行专项检测。

7 内衬(筒)与隔热层检测

7.0.1 烟囱内衬(筒)与隔热层检测,应符合下列要求:

1 内衬检测应包括内衬的材料规格、连接质量、构件变形开裂和损伤等。

2 内衬在目视检查的基础上,应对内衬开裂、脱落部位损伤程度进行检测;对冷凝结露的区域和高温区,宜取样进行检测分析,确定其材料性能和受腐蚀程度。

3 隔热层的检测包括隔热层材料种类、隔热材料的填充情况、厚度和受腐蚀程度等。

4 隔热层检测可采用红外测温、钻芯等辅助性的检测方法。

7.0.2 烟囱内筒检测,应符合下列要求:

1 内筒检测应包括连接质量、缺陷、损伤、变形和涂装等项目;

2 砖内筒应对砖和砂浆的材料强度进行检测;

3 钢内筒应对材料强度进行检测,并应对筒壁厚度及锈蚀情况进行检测。

7.0.3 烟囱内筒的支承构件检测,应符合下列要求:

1 对止晃点、支承节点等部位进行检测时,应对多个内筒之间的相对位置进行检测;

2 宜对内筒的动力特性进行检测;

3 应对内筒的支承构件强度、连接质量及腐蚀状况进行检测。

8 附属设施检测

8.0.1 附属设施应对其锚固情况、连接变形、表面涂装、锈蚀情况等进行检测。

8.0.2 附属设施的检测应包括下列项目：

    1 爬梯、平台的完整性和锈蚀情况，对涂层厚度进行检测；

    2 爬梯、平台的连接件的变形、锈蚀、缺损范围、程度、数量、锚固件的可靠性；

    3 避雷装置的接地电阻；

    4 航空标志涂层起皮、破损脱落、褪色等缺陷范围、程度、数量；

    5 伸缩节处周边漏烟、腐蚀性液体结晶情况；

    6 缆风绳固定端的稳固性、绳索外观质量及绳索应力。

9 腐蚀检测

9.1 混凝土烟囱腐蚀检测

9.1.1 混凝土烟囱的腐蚀检测，应包括钢筋锈蚀程度、混凝土腐蚀深度、腐蚀产物(有害离子)含量三个项目。

9.1.2 钢筋锈蚀程度检测，可采用半电池电位法、电位梯度法进行检测，并结合碳化深度检测、检查表面锈胀裂缝，综合判断钢筋锈蚀程度。钢筋严重锈蚀时，应剔凿混凝土后直接测定钢筋的剩余直径。

9.1.3 混凝土腐蚀深度检测，应包括碳化深度和酸液腐蚀深度两项检测内容：

  1 混凝土碳化深度检测方法应按现行行业标准《回弹法检测混凝土抗压强度技术规程》JGJ/T 23 的有关规定进行；

  2 酸液腐蚀深度检测，应采用现场钻芯取样直接测量的方法。

9.1.4 混凝土中腐蚀产物(有害离子)含量的检测，应包括氯离子、硫酸根两个检测项目，可采用现场取样试验室分析的方法测定。

9.2 钢烟囱(钢内筒)腐蚀检测

9.2.1 钢烟囱(钢内筒)腐蚀状况检测，应包括钢材在使用环境下的腐蚀速率、钢材剩余厚度和穿孔数量及部位四个项目。

9.2.2 钢材的腐蚀速率，可通过测量剩余厚度推算，也可通过在一段时间内多次测量同一个部位壁厚变化计算得出。

9.2.3 测量钢材被腐蚀后的剩余厚度时，宜沿钢内筒高度和圆周布置检测点。

9.3 砖烟囱腐蚀检测

9.3.1 砖烟囱的腐蚀检测,应包括耐酸胶泥(砂浆)的腐蚀深度和砌体块材的腐蚀深度两个项目。

9.3.2 腐蚀检测应采用钻芯取样的方法进行。

9.4 玻璃钢烟囱腐蚀检测

9.4.1 玻璃钢烟囱的腐蚀检测,应包括内、外表面开裂宽度、深度及其分布情况和内、外表面树脂腐蚀、纤维外露、发白程度及其分布。

9.4.2 玻璃钢烟囱的检测,应采用无损检测技术手段,不得在没有技术保证的前提下,直接进行取样检测。

9.5 防腐蚀层腐蚀检测

9.5.1 发泡块材类防腐蚀内衬,应检测发泡块材缝隙处的粘接剂,是否基本填满发泡块材的缝隙,粘接是否牢固,粘接剂层的厚度均匀性,表面出现老化、腐蚀的程度以及发泡块材的开裂磨损情况。

9.5.2 发泡块材类防腐蚀内衬,可采用下列取样及检测方法:

1 在烟囱内部选取有代表性的检测点;

2 在检测点部位,记录其表观现状;

3 采用专用工具,小心地拆除大约 $1.0m^2$ 的发泡块材;

4 检查并记录发泡块材背面,粘接剂与发泡块材的粘接状况、检测粘接剂的厚度及其分布;

5 从烟囱内衬表面截取粘接剂样品,送往有资格的检测实验室,检测粘接剂的耐腐蚀性能、耐温性能、断裂延伸率等参数。

9.5.3 聚合物防腐蚀层,应检测表面光洁、缺陷、纤维外露、局部渗漏点、涂层减薄、腐蚀性渗漏液的反渗等。

9.5.4 砖内筒表面聚合物防腐蚀层,可采用下列取样及检测方法：

1 在烟囱内部选取有代表性的检测点,应包含无缺陷部位和有缺陷部位；

2 在检测点部位,记录其表观现状；

3 采用专用工具,小心地拆除大约 1.0m^2 的聚合物防腐蚀层；

4 检查并记录聚合物防腐蚀层的断面状况、涂层与内衬的粘接强度、检测涂层的厚度及其分布；

5 将截取的聚合物防腐蚀层样品,送往有资格的检测实验室,检测聚合物防腐蚀层的耐腐蚀性能、耐温性能、抗渗性能、断裂延伸率等参数。

9.5.5 钢内筒表面涂层性能检测,可采用下列检测方法：

1 采用磁性测厚仪检测所选部位涂层的厚度；

2 采用电火花检漏仪检测所选部位涂层的剩余击穿电压。

9.5.6 耐蚀合金复合内衬的检测应包括下列内容：

1 耐蚀合金层的剩余厚度；

2 耐蚀合金层表面渗液及焊缝开裂情况；

3 耐蚀合金表面局部针孔等缺陷程度。

9.5.7 耐酸浇注料内衬,应检测裂缝的深度及其分布、表面脱落及腐蚀情况。

9.5.8 现场取样的检测方法、检测条件,应与施工过程中的检测报告中所列明的检测条件(酸液浓度、温度、腐蚀试验时间)相一致。

10 结构分析与校核

10.0.1 烟囱应按承载能力极限状态和正常使用极限状态进行分析和校核。

10.0.2 烟囱结构分析与校核应符合下列规定：

1 结构分析与校核方法，应符合国家现行有关设计标准的规定。

2 结构分析与校核所采用的计算模型，应符合烟囱的实际受力和构造情况。

3 作用效应的分项系数和组合系数，应按现行国家标准《烟囱设计规范》GB 50051 的有关规定确定。

4 材料强度的标准值，应根据构件的实际状况和已获得的检测数据按下列原则取值：

  1）当材料的种类和性能符合原设计要求时，可按原设计标准值取值；

  2）当材料的性能与原设计不符或材料性能已显著退化时，应根据实测数据按国家现行有关检测技术标准的规定取值。

5 当实测混凝土烟囱表面长期作用温度高于 60℃，钢烟囱或钢内筒表面长期作用温度高于 100℃ 时，应考虑温度对材料力学性能的影响。

6 烟囱的几何参数应取实测值，并应结合结构实际的变形、施工偏差以及裂缝、缺陷、损伤、腐蚀等影响确定。

10.0.3 筒身承载力验算，应计入下列影响：

1 筒身倾斜所产生的附加弯矩；

2 有纵向裂缝的无筋砌体和裂缝已贯通筒壁的配筋砌体的

截面惯性矩的减小；

3 锈蚀、腐蚀造成的截面削弱；

4 隔热层损伤导致的温度变化。

11 鉴定评级

11.1 地基基础

11.1.1 地基基础的安全性等级评定应遵循下列原则：

1 根据烟囱现状和地基变形观测资料进行评定。必要时，可按地基基础的承载力进行评定。

2 建在斜坡场地上的烟囱，应对边坡场地的稳定性进行检测评定。

3 有明显沉降或变形的烟囱，可根据其沉降或变形的严重程度，评为 C 级或 D 级。

4 当根据本标准第 11.1.2 条和第 11.1.3 条两种评定标准，对地基基础进行安全性评定时，地基基础的安全性评定结果，可按较低等级确定。

11.1.2 当地基基础的安全性按烟囱现状和地基变形观测资料检测结果评定时，应按下列规定评定等级：

1 A 级：地基变形不大于现行国家标准《建筑地基基础设计规范》GB 50007 规定的允许值，沉降速率小于 0.01mm/d，烟囱使用状况良好，无沉降裂缝、变形或位移；

2 B 级：地基变形不大于现行国家标准《建筑地基基础设计规范》GB 50007 规定的允许值，沉降速率小于 0.05mm/d，半年内的沉降量小于 5mm，烟囱上有轻微沉降变形或与烟道有轻微的相对位移出现；

3 C 级：地基变形大于现行国家标准《建筑地基基础设计规范》GB 50007 规定的允许值，沉降速率大于 0.05mm/d，沉降变形有进一步发展趋势，烟囱上有沉降变形或与烟道有错位、开裂；

4 D 级：地基变形大于现行国家标准《建筑地基基础设计规

范》GB 50007 规定的允许值,沉降速率大于 0.05mm/d,烟囱的沉降变形发展显著,烟囱与烟道之间有明显的错位、开裂或挤压变形。

11.1.3 当地基基础的安全性需要按承载力项目评定时,应根据地基和基础的检测、验算结果,并应按下列规定及表 11.1.3 评定等级:

表 11.1.3 烟囱地基基础承载能力评定等级

构件类别	$R/\gamma_0 S$			
	A	B	C	D
地基基础	≥1.0	<1.0; ≥0.90	<0.90; ≥0.85	<0.85

注:1 地基基础的抗力 R 与作用效应 $\gamma_0 S$ 的比值 $R/\gamma_0 S$,应取各受力状态验算结果中的最低值;γ_0 为现行国家标准《烟囱设计规范》GB 50051 中规定的烟囱重要性系数。对安全等级为一级或设计工作寿命为 100 年以上的烟囱,烟囱重要性系数 γ_0 不应小于 1.1。
  2 作用效应计算时应考虑烟囱实际倾斜所产生的附加变矩。

1 A 级:地基基础的承载力满足现行国家标准规定的要求,烟囱完好无损;

2 B 级:地基基础的承载力略低于现行国家标准规定的要求,烟囱可能局部有轻微损伤;

3 C 级:地基基础的承载力不满足现行国家标准规定的要求,烟囱有开裂损伤;

4 D 级:地基基础的承载力不满足现行国家标准规定的要求,烟囱有严重开裂损伤。

11.1.4 地基基础的使用性等级宜根据筒壁或烟道的使用状况,并应按下列规定评定等级:

1 A 级:筒壁或烟道使用状况良好,或所出现的问题与地基基础无关;

2 B 级:筒壁或烟道使用状况基本正常,筒壁和烟道的连接因地基基础变形有个别损伤;

3 C 级:筒壁或烟道使用状况不完全正常,结构或连接因地基基础变形有局部或大面积损伤。

11.1.5 地基基础的可靠性可按安全性等级和使用性等级中较低的等级确定。

11.2 筒 壁

11.2.1 烟囱筒壁及支承结构的安全性等级应按承载能力、构造和连接、裂缝三个项目的评定等级确定;使用性等级应按损伤、裂缝和倾斜三个项目的最低评定等级确定;可靠性等级可按安全性等级和使用性等级中的较低等级确定。

11.2.2 筒壁构件的承载能力应按表11.2.2-1及表11.2.2-2评定等级。

表11.2.2-1 钢烟囱筒壁承载能力评定等级

构件类别	$R/\gamma_0 S$			
	a	b	c	d
筒壁	≥1.0	<1.0; ≥0.95	<0.95; ≥0.90	<0.90

表11.2.2-2 钢筋混凝土及砖烟囱筒壁承载能力评定等级

构件类别	$R/\gamma_0 S$			
	a	b	c	d
筒壁	≥1.0	<1.0; ≥0.90	<0.90; ≥0.85	<0.85

注:1 筒壁的抗力 R 与作用效应 $\gamma_0 S$ 的比值 $R/\gamma_0 S$,应取各受力状态验算结果中的最低值;γ_0 为现行国家标准《烟囱设计规范》GB 50051中规定的烟囱重要性系数。对安全等级为一级或设计工作寿命为100年以上的烟囱,烟囱重要性系数 γ_0 不应小于1.1。

2 作用效应计算时应考虑烟囱筒身实际倾斜所产生的附加弯矩。

11.2.3 当砖烟囱筒壁出现环向水平裂缝或斜裂缝时,应根据其严重程度评定为c级或d级。当混凝土烟囱筒壁出现环向水平温度裂缝或受力裂缝时,可根据其严重程度评为c级或d级。当混凝土筒壁出现因滑模施工或施工缝产生的水平裂缝,可根据其严重程度评为 b 级或 c 级。

11.2.4 混凝土烟囱筒壁的构造和连接项目包括构造、钢筋的搭接、烟囱开设的孔洞等,应根据对筒壁的安全使用的影响按下列规定评定等级。

1 当筒壁的构造合理,满足国家现行标准要求时评为 a 级;基本满足现行国家标准要求时评为 b 级;当筒壁的构造不满足国家现行标准要求时,根据其不符合程度评为 c 级或 d 级。

2 当钢筋的搭接或焊接接头的构造合理,满足国家现行标准要求时可根据现场具体检查情况评为 a 级或 b 级;当钢筋的搭接或焊接接头的构造不满足国家现行标准要求时,可根据现场具体检查的严重程度评为 c 级或 d 级。

3 当筒壁洞口的构造合理,满足国家现行标准要求时,或仅有局部缺陷,无明显的破损、裂缝时,可根据现场具体检查情况评为 a 级或 b 级;当筒壁洞口的开设构造不满足国家现行标准要求,洞口局部有明显的破损、裂缝时,可根据现场具体检查的严重程度评为 c 级或 d 级。

4 应取本条第 1 款~第 3 款中较低等级作为构造和连接项目的评定等级。

11.2.5 筒壁及支承结构的结构系统安全性评定等级可按构件评级中的最低等级确定。

11.2.6 筒壁正常使用的损伤项目应按下列规定评定等级:

1 a 级:筒壁结构对大气环境及烟气耐受性良好,或筒壁结构防护层性能和状况良好,无明显腐蚀现象,受热温度在结构材料允许范围内;

2 b 级:除 a 级、c 级之外的情况;

3 c 级:在目标使用年限内可能因腐蚀或温度作用,影响结构安全使用。

11.2.7 钢筋混凝土烟囱及砖烟囱筒壁最大裂缝宽度项目应按表 11.2.7 评定等级。

表 11.2.7 钢筋混凝土烟囱及砖烟囱筒壁最大裂缝宽度评定等级

烟囱分类	高度分区	裂缝宽度(mm) a	b	c
砖烟囱	全高	无明显裂缝	≤1.0	>1.0
钢筋混凝土烟囱(单管)	顶端20m以内	≤0.15	≤0.5	>0.5
	顶端20m以外	≤0.20		

11.2.8 烟囱筒壁及支承结构倾斜项目应按表11.2.8评定等级。

表 11.2.8 筒壁及支承结构倾斜评定等级

高度 (m)	评定标准 a	b	c
$h \leq 20$	倾斜≤0.0033	倾斜变形稳定,或目标使用年限内倾斜发展不会大于0.013	倾斜有继续发展趋势,且目标使用年限内倾斜发展将大于0.013
$20 < h \leq 50$	倾斜≤0.0017	倾斜变形稳定,或目标使用年限内倾斜发展不会大于0.012	倾斜有继续发展趋势,且目标使用年限内倾斜发展将大于0.012
$50 < h \leq 100$	倾斜≤0.0012	倾斜变形稳定,或目标使用年限内倾斜发展不会大于0.011	倾斜有继续发展趋势,且目标使用年限内倾斜发展将大于0.011
$100 < h \leq 150$	倾斜≤0.0010	倾斜变形稳定,或目标使用年限内倾斜发展不会大于0.008	倾斜有继续发展趋势,且目标使用年限内倾斜发展将大于0.008
$150 < h \leq 200$	倾斜≤0.0009	倾斜变形稳定,或目标使用年限内倾斜发展不会大于0.006	倾斜有继续发展趋势,且目标使用年限内倾斜发展将大于0.006
>200	倾斜≤0.0008	倾斜变形稳定,或目标使用年限内倾斜发展不会大于0.005	倾斜有继续发展趋势,且目标使用年限内倾斜发展将大于0.005

注:倾斜指烟囱顶部侧移变位与高度的比值。当前的侧移变位为实测值,目标使用年限内的为预估值。

11.2.9 筒壁的使用性等级应按损伤、裂缝和倾斜三个项目的最低评定等级确定。

11.3 内衬与隔热层

11.3.1 烟囱隔热层和内衬的安全性等级应根据构造连接和损坏情况两个项目的评定等级进行评定,使用性等级应根据使用功能的实际状况进行评定,可靠性等级可按安全性等级和使用性等级中的较低等级确定。

11.3.2 烟囱隔热层和内衬的构造连接项目的评定等级,可按表11.3.2评定,并应取其中最低等级作为该项目的安全性等级。

表11.3.2 隔热层和内衬构造连接评定等级

项目	A级或B级	C级或D级
构造	构造合理,符合或基本符合国家现行标准规范要求,无变形或损坏	构造不合理,不符合或严重不符合国家现行标准规范要求,有明显变形或损坏
连接	连接方式正确,连接构造符合或基本符合国家现行标准规范要求,无缺陷或仅有局部的表面缺陷或损伤,工作无异常	连接方式不当,连接构造有缺陷或有严重缺陷,已有明显变形、松动、局部脱落、裂缝或损坏
对主体结构安全的影响	布置合理,对主体结构的安全没有或较轻的不利影响	布置不合理,对主体结构的安全有较大或有严重的不利影响

注:对表中的各项进行评定时,可根据其实际完好程度评为A级或B级,根据其实际损坏严重程度评为C级或D级。

11.3.3 烟囱隔热层和内衬使用功能的评定等级,可根据使用功能的实际状况进行评定,A级为完好;B级为有轻微损坏,但不影响防护功能;C级为局部损坏已影响防护功能。

11.4 附属设施

11.4.1 附属设施的安全性等级应根据承载构件的实际状况进行

评定,使用性等级应根据使用功能、破损程度进行评定,可靠性等级应按安全性等级和使用性等级中的较低等级确定。

11.4.2 附属设施中应对爬梯、平台等承载构件进行安全性评级。安全性等级应根据实际状况按下列规定评定为 A、B、C、D 四个等级:

A 级:完好的,无损坏,工作性能良好;

B 级:适合工作的,轻微损坏,但不影响使用;

C 级:部分适合工作的,损坏较严重,影响使用;

D 级:不适合工作的,损坏严重,不能继续使用。

11.4.3 附属设施的使用性等级应根据其使用功能、破损程度按下列规定评定为 A、B、C 三个等级:

A 级:完好、无损坏;

B 级:有轻微损坏或部分功能失效,影响使用;

C 级:损坏严重,功能完全丧失,不能继续使用。

11.5 腐蚀评定

11.5.1 烟囱的腐蚀评定应根据烟囱的裂缝、损伤、腐蚀等情况分三级进行评定。

11.5.2 钢筋混凝土烟囱腐蚀综合评定可根据表 11.5.2 的评价项目,按下列规则评分:

表 11.5.2 钢筋混凝土烟囱腐蚀综合评定标准

序号	评价项目	扣分标准
1	裂缝情况	最大裂缝宽度 0.5mm 以内 0 分,0.5mm～2mm 之间 10 分,超过 2mm 以上 15 分
2	钢筋锈蚀情况	钢筋未锈蚀 0 分,仅有局部锈蚀之间 5 分,大面积锈蚀 15 分
3	烟气腐蚀性	非腐蚀性 0 分,弱腐蚀性 5 分,强腐蚀性 10 分
4	防腐层	防腐层完好 0 分,局部破坏 15 分,大面积破坏或未设防腐层 25 分

续表 11.5.2

序号	评价项目	扣分标准
5	筒壁腐蚀深度	3mm以下0分,3mm～5mm之间5分,5mm以上15分
6	内衬破坏程度	基本完好0分,局部破坏10分,大面积破坏20分

满分100分,根据各项符合程度扣分,按照最终得分评定其等级:

A级:86分～100分,烟囱现状较好,可以继续正常运行;

B级:35分～85分,需对筒壁进行适当的维修,对内衬进行局部修复,防腐层宜更新;

C级:0～34分,应对筒壁进行维修,对内衬进行修复处理,防腐层应更新或改造。

11.5.3 砖烟囱腐蚀根据块材和砂浆的腐蚀程度可按表11.5.3进行评定,腐蚀评定等级根据块材和砂浆评定结果中的较低等级确定。

表 11.5.3 砖烟囱腐蚀综合评定标准

材料\等级	A	B	C
块材	无腐蚀现象	出现腐蚀现象,且最大腐蚀深度不大于5mm	出现较严重腐蚀现象,其最大腐蚀深度大于5mm
砂浆	无腐蚀现象	出现腐蚀现象,且最大腐蚀深度不大于10mm	出现较严重腐蚀现象,或最大腐蚀深度大于10mm
防腐层	完好,无渗漏	局部破坏	大面积破坏或未设防腐层

注:表格中的腐蚀深度指烟囱筒壁内测的块材及砂浆的腐蚀深度。

11.5.4 钢烟囱腐蚀评定根据钢结构构件的腐蚀程度可按下列规定评定等级。

A级:没有腐蚀且防腐措施完备,防腐层完好;

B级:已出现腐蚀但筒壁截面还没有明显削弱,或防腐措施不完备,防腐层局部破坏;

C级:已出现较大面积腐蚀并使筒壁截面有明显削弱,或防腐措施已破坏失效,防腐层大面积破坏。

12 综合鉴定评级

12.0.1 烟囱的可靠性综合鉴定评级层次、结构系统划分、检测评定项目、可靠性评级宜符合表 12.0.1 的要求。

表 12.0.1 烟囱的可靠性综合鉴定评级

层次	Ⅰ	Ⅱ	Ⅲ
层名	鉴定单元	结构系统	结构或构件
可靠性鉴定	一、二、三、四	A、B、C、D	a、b、c、d
	烟囱或烟道	地基基础	—
		筒壁及支承结构	承载能力、损伤、裂缝、倾斜
		内衬与隔热层	—
		附属设施	—

12.0.2 烟囱鉴定单元的可靠性鉴定评级,应按地基基础、筒壁及支承结构、内衬与隔热层三个结构系统中可靠性等级的最低等级确定。附属设施评定可不参与烟囱鉴定单元的评级,但在鉴定报告中应包括其检查评定结果及处理建议。

13 鉴定报告

13.0.1 烟囱可靠性鉴定报告宜包括下列内容：
1 工程概况；
2 鉴定的目的、内容、范围及依据；
3 调查、检测、分析的结果；
4 评定等级或评定结果；
5 结论与建议；
6 附件。

对于专项鉴定，鉴定报告应包括有关专项问题或特定要求的检测评定内容。

13.0.2 鉴定报告编写应符合下列要求：

1 鉴定报告中应明确目标使用年限，指出被鉴定烟囱在目标使用年限内所存在的问题及产生的原因。

2 鉴定报告中应明确总体鉴定结果，指明被鉴定烟囱的最终评定等级或评定结果，作为技术管理或制订维修计划的依据。

3 鉴定报告中应明确处理对象，对各鉴定单元的安全性评为 c 级和 d 级构件及 C 级和 D 级结构系统的数量、所处位置作出详细说明，并提出处理措施；若在结构系统或构件正常使用性评定中有 c 级构件或 C 级结构系统以及腐蚀评定为 C 级时，也应按上述要求作出详细说明，并根据实际情况提出措施建议。

14 检测作业安全

14.1 检测人员

14.1.1 所有参与烟囱检测的人员应接受高空作业安全教育,上岗前应依据有关规定进行专门的安全技术交底。

14.1.2 检测现场应配备专职安全员,专职安全员应了解烟囱结构特点、工况环境,熟悉烟囱检测方案。

14.1.3 高空作业的检测人员应经过体检,合格后方可上岗。

14.1.4 特殊工种应持有有效的特殊工种安全操作证。

14.2 安全措施

14.2.1 检测单位应具备完善的安全生产管理体系,检测前应根据检测工作需要,结合烟囱的特点、环境及相关规范的要求,制定相应的安全专项方案、岗位责任制和安全技术措施。

14.2.2 烟囱检测前,应对烟囱筒身现状及安全防护设施进行逐项检查,经确认符合作业安全要求后,方可作业。

14.2.3 检测用吊篮(或吊笼、施工升降机)等起重提升系统应进行验收。

14.2.4 检测人员应按规定正确佩戴和使用符合国家标准的安全帽、安全带等必备的安全防护用具;安全带、安全防坠速差器或自锁器应挂设在单独设置的安全绳上,严禁安全绳与吊篮连接。

14.2.5 在 5 级及 5 级以上的大风、暴雨、雷电、大雾等恶劣天气情况下,应停止烟囱检测作业。

14.2.6 非停产检测时,应对周边环境进行监测,并应配备有害气体检测仪器,设专人监护。

14.2.7 检测工具等物品应可靠固定,样品及工具等应使用绳索、吊篮等传送,不得高空抛掷。

14.2.8 检测期间烟囱周围应设立施工危险警戒区,100m以下的烟囱距筒壁不宜少于10m;100m以上的烟囱距筒壁不宜少于烟囱高度的1/10。施工危险警戒区应设立明显标志并设专人监护。

14.2.9 检测工作不宜在夜间进行。

14.2.10 烟囱检测时,应先对原避雷装置进行检测,当不符合要求时,应设置临时避雷接地装置,接地电阻不得大于10Ω。

附录 A 单筒式钢筋混凝土烟囱结构耐久性年限评估

A.1 大气环境下烟囱混凝土筒壁外侧的耐久性评估

A.1.1 在进行烟囱混凝土筒壁外侧的耐久性评估时,应进行下列项目的现场调查与检测:
1 环境温度、湿度调查;
2 混凝土强度检测;
3 混凝土保护层厚度检测;
4 混凝土碳化深度检测;
5 混凝土中钢筋锈蚀状况检测。

A.1.2 筒壁外侧大气环境下耐久性极限状态规定:将钢筋锈蚀造成筒壁开裂并使结构性能退化作为耐久性失效的标志。

A.1.3 烟囱混凝土筒壁外侧的剩余耐久年限 t_{re} 可按下式计算:

$$t_{re} = t_d - t_0 \tag{A.1.3}$$

式中:t_d——混凝土筒壁性能严重退化的时间(a);
t_0——烟囱建成至检测时的时间(a)。

A.1.4 混凝土筒壁性能严重退化的时间可按下式计算:

$$t_d = t_i + t_{cl} \tag{A.1.4}$$

式中:t_i——钢筋开始锈蚀的时间(a),按式(A.1.5)估算;
t_{cl}——钢筋开始锈蚀至结构性能严重退化的时间(a),按式(A.1.8)估算。

A.1.5 钢筋开始锈蚀的时间可按下式估算:

$$t_i = 15.2 K_k \cdot K_c \cdot K_m \tag{A.1.5}$$

式中:K_k、K_c、K_m——分别为碳化速度影响系数、保护层厚度影响系数、局部环境影响系数,按表 A.1.5-1~表 A.1.5-3 取用。

表 A.1.5-1 碳化速度影响系数 K_k

碳化系数 k (mm/$\sqrt{a}$)	1.0	2.0	3.0	4.5	6.0	7.5	9.0
K_k	2.27	1.54	1.20	0.94	0.80	0.71	0.64

注:碳化系数按 A.1.7 条方法计算。

表 A.1.5-2 保护层厚度影响系数 K_c

保护层厚度 c (mm)	5	10	15	20	25	30	40
K_c	0.54	0.75	1.00	1.29	1.62	1.96	2.67

表 A.1.5-3 局部环境影响系数 K_m

局部环境系数 m	3.5	4.5
K_m	0.78	0.68

注:局部环境系数按表 A.1.6 取用。

A.1.6 环境等级和局部环境系数可按表 A.1.6 取用。

表 A.1.6 环境等级和局部环境系数

环 境 等 级	局部环境系数 m
干燥地区	3.5~4.0
潮湿地区	4.0~4.5

A.1.7 碳化系数 k 应按下式计算:

$$k = \frac{x_c}{\sqrt{t_0}} \qquad (A.1.7)$$

式中:x_c——实测碳化深度(mm)。

A.1.8 钢筋开始锈蚀至结构性能严重退化的时间可按下式估算:

$$t_{cl} = 8.09 \cdot F_c \cdot F_f \cdot F_d \cdot F_T \cdot F_{RH} \cdot F_m \qquad (A.1.8)$$

式中:F_c、F_f、F_d、F_T、F_{RH}、F_m——分别为保护层厚度影响系数、混凝土强度影响系数、钢筋直径影响系数、环境温度影响系数、环境湿度影响系数、局部环境影响系数,按表 A.1.8-1~表 A.1.8-6 取用。

表 A.1.8-1 保护层厚度影响系数 F_c

保护层厚度 c(mm)	5	10	15	20	25	30	40
F_c	0.58	0.77	1.00	1.24	1.49	1.76	2.35

表 A.1.8-2 混凝土强度影响系数 F_f

混凝土强度 MPB	10	15	20	25	30	35	40
F_f	0.31	0.59	0.89	1.29	1.81	2.46	3.24

表 A.1.8-3 钢筋直径影响系数 F_d

钢筋直径(mm)	4	8	12	16	20	25	28
F_d	0.91	1.44	1.47	1.36	1.30	1.26	1.24

表 A.1.8-4 环境温度影响系数 F_T

环境温度(℃)	4	8	12	16	20	24	28
F_T	1.48	1.41	1.34	1.27	1.22	1.16	1.12

表 A.1.8-5 环境湿度影响系数 F_{RH}

环境湿度(%)	0.55	0.60	0.65	0.70	0.75	0.80	0.85
F_{RH}	2.30	1.79	1.50	1.31	1.18	1.08	1.08

表 A.1.8-6 局部环境影响系数 F_m

局部环境系数 m	3.5	4.5
F_m	1.10	0.89

A.2 酸液腐蚀作用下烟囱混凝土筒壁内侧的耐久性评估

A.2.1 在进行酸液腐蚀作用下烟囱混凝土筒壁内侧的耐久性评估时,应进行下列项目的现场调查与检测:

1 烟囱脱硫情况调查;
2 混凝土内壁腐蚀深度检测。

A.2.2 混凝土筒壁内侧酸液腐蚀作用下的耐久性极限状态规定:将腐蚀深度距离筒壁内侧表层钢筋的表面为表层钢筋直径的一半及10mm中的较大值时作为耐久性失效的标志。当筒壁单侧配筋时,将腐蚀深度达到 50mm 作为耐久性失效的标志。

A.2.3 烟囱混凝土筒壁内侧的剩余耐久年限 $t_{re,i}$ 可按下式计算。

当内壁配筋时：
$$t_{re,i} = [c - x_e - \max(d/2, 10)]/v_e \quad (A.2.3\text{-}1)$$

式中：c ——筒壁内侧表面钢筋保护层厚度(mm),一般为环向钢筋；

x_e ——实测腐蚀深度(mm)；

d ——筒壁内侧表面钢筋直径(mm)；

v_e ——腐蚀速率(mm/a),按式(A.2.4)计算。

当筒壁为单侧配筋时：
$$t_{re,i} = (50 - x_e)/v_e \quad (A.2.3\text{-}2)$$

式中：x_e ——实测腐蚀深度(mm)；

v_e ——腐蚀速率(mm/a),按式(A.2.4)计算。

A.2.4 烟囱混凝土筒壁内侧腐蚀速率可按下式计算：
$$v_e = x_e/t_e \quad (A.2.4)$$

式中：x_e ——实测腐蚀深度(mm)；

t_e ——自脱硫开始至检测时的时间(a)。

附录 B 烟囱防腐层耐久性评估

B.1 发泡块材防腐蚀内衬的耐久性评估

B.1.1 发泡块材防腐蚀内衬的耐久性评估可按下列方法进行：

1 将检测结果与该发泡块材施工时的检测数据进行对比，以确定在使用过程中这些指标的劣化速率；

2 以上述指标的劣化速率为基础，结合粘接剂层的厚度及其分布，以此推算其剩余使用寿命；

3 可按现行行业标准《YJ呋喃树脂材料防腐蚀工程施工及验收规程》YBJ 215－88中附录五"YJ呋喃树脂材料制成品的耐腐蚀检验方法"提供的判定标准进行，并应符合表B.1.1的规定。

表 B.1.1 粘接剂的耐腐蚀等级评定标准

级别	失重 (%)	增重 (%)	强度变化 (%)	外 观
耐	>-0.5	<+3.0	>-20.0	试块表面除颜色外，外观无明显变化
尚耐	-0.5～-3.5	+3.0～+8.0	-20.0～-40.0	试块表面略有起粉、粗糙现象
不耐	<-3.5	>+8.0	<-40.0	试块发生起鼓、起泡、发酥、发软、掉角、脱皮、裂纹、破碎等现象

B.2 聚合物防腐蚀层耐久性评估

B.2.1 砖内筒表面聚合物防腐蚀层的耐久性评估，宜按下列方法进行：

1 将检测结果与该聚合物防腐蚀层施工时的检测数据进行

对比,以确定在使用过程中这些指标的劣化速率;

2 以上述指标的劣化速率为基础,结合涂层的厚度及其分布,以此推算其剩余使用寿命。

B.2.2 钢内筒表面聚合物防腐蚀层的耐久性评估,应按下列方法进行:

1 如果检测表明,聚合物防腐蚀层表面无可见缺陷、涂层厚度未出现减薄、击穿电压在设计许可范围内,则表明该聚合物防腐蚀层完好,可继续安全使用一个大修周期;

2 如果聚合物防腐蚀层表面无缺陷出现,但是有厚度减薄、击穿电压下降现象,则按厚度减薄率、击穿电压下降率来推算剩余使用寿命;

3 当涂层表面有缺陷出现、缺陷处击穿电压下降时,可按下降的比例,推算其剩余使用寿命。

B.3 耐蚀合金复合内衬耐久性评估

B.3.1 耐蚀合金复合内衬耐久性评估,宜按下列方法进行:

1 基于耐蚀合金的剩余厚度,结合该耐蚀合金在脱硫烟气及其冷凝液环境条件下的腐蚀试验结果,推算其剩余使用寿命;

2 如果耐蚀合金表面已出现表面渗液、焊缝开裂或表面有局部针孔等缺陷,则表明该缺陷处的防腐蚀层已失效,很快会出现腐蚀穿孔。

附录 C 单个构件的划分

C.0.1 烟囱的单个构件划分,应符合下列规定:
1 基础:
  1)筏型基础,一个计算单元为一个构件;
  2)桩基,桩基承台及其所含的桩基为一个构件;
  3)独立基础,一个基础为一个构件。
2 筒壁:
筒壁的每一节作为一个计算单元,一个计算单元为一个构件。
3 柱:
一层、一根为一个构件。
4 梁式构件:
一跨、一根为一个构件,连续梁可取整根为一个构件。
5 板:
  1)预制板,一块为一个构件;
  2)现浇板,按照计算单元的划分确定。

C.0.2 本附录所划分的单个构件,应包括构件本身及其连接、节点。

本标准用词说明

1 为便于在执行本标准条文时区别对待,对要求严格程度不同的用词说明如下:
 1)表示很严格,非这样做不可的:
  正面词采用"必须",反面词采用"严禁";
 2)表示严格,在正常情况下均应这样做的:
  正面词采用"应",反面词采用"不应"或"不得";
 3)表示允许稍有选择,在条件许可时首先应这样做的:
  正面词采用"宜",反面词采用"不宜";
 4)表示有选择,在一定条件下可以这样做的,采用"可"。

2 条文中指明应按其他有关标准执行的写法为:"应符合……的规定"或"应按……执行"。

引用标准名录

《建筑地基基础设计规范》GB 50007
《建筑结构荷载规范》GB 50009
《烟囱设计规范》GB 50051
《建筑结构可靠度设计统一标准》GB 50068
《回弹法检测混凝土抗压强度技术规程》JGJ/T 23
《YJ呋喃树脂材料防腐蚀工程施工及验收规程》YBJ 215

中华人民共和国国家标准

烟囱可靠性鉴定标准

GB 51056-2014

条 文 说 明

制 订 说 明

本标准在编制过程中,编制组开展了多项专题研究,进行了广泛的调查分析,并通过大量的试验研究,总结了近年来的工程实践经验,与国内相关鉴定标准和现行标准规范进行了协调,并在全国范围内广泛征求了质检、设计、科研、教学等有关单位和专家、学者的意见,经多次讨论、修改和工程试点应用,最后经审查定稿。

为便于广大检测、鉴定、设计、施工、科研、学校等单位有关人员在使用本标准时能正确理解和执行条文的规定,编制组按照章、节、条顺序编制了本标准的条文说明,对条文规定的目的、依据以及执行中需注意的有关事项进行了说明,还着重对强制性条文的强制理由作出了解释。但是,本条文说明不具备与标准正文同等的法律效力,仅供使用者作为理解和掌握标准规定的参考。

目 次

1 总　则 …………………………………………………… (53)
2 术语和符号 ……………………………………………… (54)
　2.1 术语 ………………………………………………… (54)
　2.2 符号 ………………………………………………… (54)
3 基本规定 ………………………………………………… (55)
　3.1 一般规定 …………………………………………… (55)
　3.2 鉴定程序及其工作内容 …………………………… (57)
　3.3 鉴定评级标准 ……………………………………… (58)
4 现状调查与检查 ………………………………………… (59)
　4.1 现状调查 …………………………………………… (59)
　4.2 地基基础检查 ……………………………………… (59)
　4.3 筒壁(烟道壁)及支承结构检查 …………………… (59)
　4.4 内衬(筒)与隔热层检查 …………………………… (60)
　4.5 附属设施检查 ……………………………………… (60)
　4.6 防腐层检查 ………………………………………… (60)
5 地基基础检测 …………………………………………… (62)
6 筒壁与支承结构检测 …………………………………… (63)
　6.1 一般规定 …………………………………………… (63)
　6.2 材料检测 …………………………………………… (63)
　6.4 垂直度、裂缝与变形检测 ………………………… (64)
7 内衬(筒)与隔热层检测 ………………………………… (66)
8 附属设施检测 …………………………………………… (67)
9 腐蚀检测 ………………………………………………… (68)
　9.1 混凝土烟囱腐蚀检测 ……………………………… (68)

9.2 钢烟囱(钢内筒)腐蚀检测	(68)
9.4 玻璃钢烟囱腐蚀检测	(68)
9.5 防腐蚀层腐蚀检测	(69)
10 结构分析与校核	(70)
11 鉴定评级	(71)
11.1 地基基础	(71)
11.2 筒壁	(71)
11.5 腐蚀评定	(72)
12 综合鉴定评级	(73)
13 鉴定报告	(74)
14 检测作业安全	(75)
14.1 检测人员	(75)
14.2 安全措施	(75)

1 总 则

1.0.1 烟囱是排放烟气的主要构筑物,在使用过程中不仅需要经常性的管理与维护,同时在烟囱存在缺陷和损伤、遭受事故或灾害、达到设计使用年限、改变使用条件或使用环境、进行工艺改造等问题时,烟囱的安全性、使用性能否满足要求,需要对烟囱整体或局部进行检测鉴定才能给出一个正确的评价。随着我国经济的快速发展,火电行业发展迅猛,同时我国对环保的要求日趋严格,这就对电厂排放烟气的烟囱提出了新的要求,烟囱的腐蚀损伤也就成了构成烟囱使用过程中安全隐患的一个最突出的问题。因此,为适应烟囱使用和技术管理的需要,解决烟囱使用过程中出现的实际问题,给出合理可依据的鉴定方法和评定标准,在总结数十年来的工程经验和科研成果的基础上,制定了本标准。

需要说明的是,当烟囱工程施工质量不符合要求需要进行检测鉴定时,本标准仅作为检测鉴定的依据,不能代替工程施工质量验收规范标准。

1.0.2 本条规定的分类标准,是以烟囱支承结构材料的不同进行分类。目前各类企业中使用最多的是钢筋混凝土烟囱。钢烟囱近年来使用也较多,多为小型烟囱。砖烟囱多为老旧既有烟囱,新建砖烟囱已经很少。玻璃钢烟囱在原《烟囱设计规范》GB 50051—2002 中未涉及,近几年已有使用,新修订的《烟囱设计规范》GB 50051—2013 中新增了相关内容。玻璃钢烟囱使用时间较短,相应数量较少,实际工程实践经验不多,尚待进一步总结经验,使其进一步完善和提高。

2 术语和符号

2.1 术　　语

2.1.1～2.1.15 本标准所给出的术语,为本标准中所引用的、用于检测鉴定方面的专用术语,是从本标准的角度赋予其含义,不一定是术语的定义。本标准同时给出了相应的英文术语,该英文术语也不一定是国际上的标准术语,仅供参考。《烟囱设计规范》GB 50051中已有的术语,本标准不再赘述。

2.2 符　　号

本标准采用的符号及其意义,符合现行国家标准《工程结构设计基本术语和通用符号》GBJ 132 的要求,并在制定过程中注意了与有关规范标准的协调和统一。

3 基本规定

3.1 一般规定

3.1.1 烟囱的可靠性不同于一般建(构)筑物,对于一般建筑,某一部分的梁板等构件损伤甚至破坏可能都是局部性的,尚可能不至于影响到结构整体的安全性。而对于烟囱而言,其结构形式比较单一,尤其常用的钢筋混凝土筒身的烟囱,一旦作为烟囱支承筒身的结构某一部分受到腐蚀等损伤,都会影响到烟囱结构的整体安全,甚至造成比较严重的次生灾害。

以往的烟囱多未进行脱硫防腐处理,为干烟囱,使用过程中出现的问题相对较少。而近年来由于环保要求进行脱硫防腐后排放烟气的烟囱,在使用过程中遇到较多损伤问题,进而影响到烟囱结构安全。大量的烟囱检测鉴定的案例表明,多数是由于烟囱排放脱硫防腐后的烟气结露,酸液渗漏严重,给烟囱结构安全造成隐患,不得不进行进一步防腐处理和改造,且多为解决烟囱整体安全性问题为主,同时注重正常使用性的可靠性鉴定,以确保工业生产的安全正常运行。仅有少数是解决烟囱结构出现的裂缝或变形,或者施工中出现的尺寸偏差等问题而进行的鉴定。本条列出了可能对烟囱整体结构安全性有影响的情况,应对烟囱进行可靠性鉴定。第1款至第5款为强制性条款,必须严格执行。

1 存在严重的质量缺陷或者出现严重的腐蚀、渗漏、损伤、变形时,会直接影响烟囱结构承载能力,导致烟囱发生垮塌等事故,直接危及人民生命财产安全,此时必须进行可靠性鉴定。消除安全隐患,确保使用安全。本款既有烟囱设计安全水准低,有缺陷的烟囱则更存在巨大的安全隐患。

2 超过设计使用年限或目标使用年限拟继续使用时,应进行烟囱可靠性鉴定。设计使用年限或目标使用年限是烟囱结构安全使用的最基本的保障,达到使用年限后,无论烟囱结构可靠度还是耐久性均不符合原设计条件,超过该年限继续使用时,必须清楚烟囱的实际承载能力状况,进行可靠性鉴定,避免产生坍塌事故,危及人民生命财产安全。

3 使用条件或使用环境改变,对烟囱安全性不利时会危及烟囱使用的安全性,存在安全隐患,必须经过鉴定分析原因,消除安全隐患,避免事故发生。近年来,由于环保需要,陆续对烟囱进行脱硫脱硝改造,由于烟气温度减低,腐蚀较设计条件更加严重。由于脱硫防腐是近些年在我国才有的环保要求,防腐经验严重不足,烟囱在正常使用过程中本身就存在烟气渗漏腐蚀等情况,即使某个局部存在损伤都会对烟囱结构整体的承载能力造成削弱,造成严重安全隐患。

4 需要进行全面、大规模维修时,应搞清原有烟囱结构实际承载能力状况及损伤现状。大修时,通过全面检测能更好地掌握烟囱的现状,必须进行可靠性鉴定,从而确保烟囱维修后的安全使用,保证能源资源节约。

5 遭受严重灾害或事故后,需要继续使用时,应进行烟囱可靠性鉴定。遭受严重灾害如地震、火灾后,烟囱结构可能发生严重破坏,不仅会造成内部材料损伤乃至结构损伤危及结构安全,还可能会造成烟囱开裂、烟气泄漏、环境污染等严重灾害,必须进行可靠性鉴定以彻底消除隐患。

3.1.2 对于烟囱局部存在某些方面的突出问题,且不影响烟囱整体安全性时,宜对该部分进行有针对性的专项鉴定。

3.1.4 鉴定的目标使用年限是在保证安全的基础上可满足使用要求的年限。在实际工程鉴定中,烟囱的可靠性鉴定往往需要明确希望达到的使用年限,根据本条规定原则由委托方和鉴定方共同商定。如烟囱使用时间较短、现状较好,无严重损伤或进行大修改造时,目标使用年限可考虑取较长时间,一般20年~30年;如烟囱已经使用时间较长、现状损伤尤其腐蚀损伤为主要问题,再维持较短时间即进行全面维修改造时,目标使用年限一般3年～5年;其他情况的目标使用年限一般可考虑不超过10年。

3.2 鉴定程序及其工作内容

3.2.1 本标准制定的鉴定程序是一种常规的鉴定的工作程序,是根据大量的烟囱鉴定的实践经验,并参考其他相关标准制定的。执行时,可根据鉴定的具体要求进行安排。如遇到简单问题时,可适当简化;如遇到特殊问题时,可进行必要的补充和调整。

3.2.5 现场检查与检测工作,是获得烟囱现状必要的资料、可靠的数据的关键,也是进行下一步可靠性分析与验算的基础。具体到每一个鉴定的项目需要做哪些工作,还需要根据实际所遇到的问题进行必要的选择。

3.2.6 根据检查检测的结果,考虑现场取得的缺陷、腐蚀和损伤等有关数据,对烟囱的整体及各部分的可靠度水平进行分析与验算。结构承载力分析与验算是可靠性分析的重要组成部分,考虑烟囱的特点,现状损伤尤其是腐蚀损伤是重要问题,要分析产生的原因和对结构的影响。

3.2.8 本标准规定的烟囱可靠性鉴定评级体系,采用先分层次,分层分项进行检查,逐层逐步进行综合的评级模式。

(1)被鉴定的烟囱划分为构件、结构系统、鉴定单元三个层次,对安全性和可靠性鉴定分四个等级,正常使用性、腐蚀性分三个等级。然后根据每一层次各评定项目的评定结果确定其等级,评定项目具体的评级标准由本标准的各个章节分别给出。

(2)腐蚀性的评定,侧重于烟囱防腐系统的完损性及功能性的评定,由于腐蚀造成的烟囱结构的损伤以致造成承载能力的降低等,应分别在安全性和正常使用性评定中反映。

(3)各部分的评定项目,是各层次和各组成部分鉴定评级的依据,同时也是处理所存在隐患的直接依据。而结构系统及鉴定单元的评级结果,是烟囱进行科学管理和宏观决策的依据。

3.2.9 专项鉴定的工作程序,可参照可靠性鉴定程序,根据专项鉴定的具体要求进行适当调整,不一定全面评定。

3.3 鉴定评级标准

3.3.1～3.3.3 本标准已经考虑了原烟囱设计规范及施工标准的水准,也借鉴了现行烟囱设计规范及施工标准的相关要求,同时依据烟囱特点及实际情况提出了专门的规定。对于既有烟囱的鉴定,原设计规范只能作为参考性的指导文件使用,而现行烟囱设计规范、施工规范是以拟建新烟囱为对象制定的,不可能系统地考虑到已有烟囱所能遇到的各种问题,因此对于既有烟囱在使用过程中的可靠性鉴定,应当依据本标准的相关规定进行,而不应直接采用已被废止的原有或现行的烟囱设计、施工及验收规范进行鉴定。

4 现状调查与检查

4.1 现状调查

4.1.1 当对既有烟囱进行鉴定时,除应考虑下一个目标使用期内可能受到的作用和使用环境外,还要考虑烟囱已经受到的各种作用和结构工作环境,以及使用历史上受到的设计中未考虑的作用。

4.1.2 原始资料是鉴定工作的基础,设计图、竣工图缺失时,应进行现场调查实测和补充检测,当无地质勘察报告时,可进行补充检测。设计图、竣工图齐全时,应与现场实际情况核对。

4.1.3 结构上的作用调查以查阅图纸、规范、运行参数以及调查使用历史为主,必要时应对结构动力作用进行测试。

4.2 地基基础检查

4.2.1 当地基资料不全且可能对烟囱上部结构造成不利影响时,应根据国家现行有关标准的规定,对场地地基进行补充勘测,并进行沉降观测和倾斜观测。

地基承载力的大小按现行国家标准《建筑地基基础设计规范》GB 50007中规定的方法进行确定。当使用年限超过10年时,可适当考虑地基承载力在长期荷载作用下的提高效应。

4.2.2 当上部结构未发现异常时,可不进行开挖检查;当对基础现状有怀疑时,应对基础进行开挖检查。

4.3 筒壁(烟道壁)及支承结构检查

4.3.1 筒壁(烟道壁)外壁可以通过望远镜、吊篮、爬梯、平台等直接检查,内壁需通过钻芯样检查缺陷和损伤。

4.3.2 对套筒式烟囱,可通过内部设置的钢爬梯或吊板等进行内壁和内筒以及连接现状的检查。

4.3.3 砖烟囱除容易出现变形、裂缝、腐蚀外,由于其材料特性,还容易出现风化、缺损,应进行相关检查。

4.3.4 玻璃钢材料由于本身的材料特点,对外力冲击、应力集中等比较敏感,使用、维护过程中的某些不当操作,均会导致玻璃钢烟囱的局部、浅层损坏。如果不及时地对这些破坏部位加以修复,持续的累积作用将导致破坏面积扩大、浅层破坏向深层发展,最终导致整体性破坏。

应调查玻璃钢烟囱的原材料,并记录和标绘任何应力区。

在正常的基础上,烟道喷淋降温系统应处于不连续运转状态。烟道喷淋降温系统的运行将造成烟气中的飞灰在玻璃钢烟囱内表面上产生聚积。

4.4 内衬(筒)与隔热层检查

4.4.1 内衬可通过钻芯样进行现状检查,当停产时可搭设内吊篮,对内衬整体表观现状进行检查。对构造和连接可通过查阅图纸资料并结合现场实际情况进行检查。

4.4.2 对砖内筒,尚应对支撑内筒的混凝土构件的破损、腐蚀、变形、连接、构造、露筋、保护层剥落、浇筑质量现状进行检查。对钢内筒和玻璃钢内筒,主要检查筒壁穿孔数量、大小和分布情况以及构造、变形和涂装情况,尚应对制晃装置、支承节点的现状进行检查。对多管式烟囱,尚应对多个内筒之间的相对位置、连接构造进行检查。

4.4.3 隔热层可通过钻芯样进行检查。

4.5 附属设施检查

4.5.3 当对连接可靠性有怀疑时,应对接地电阻值进行检测。

4.6 防腐层检查

4.6.1 发泡块材的损伤一般不会导致防腐层立即破坏,粘接剂的饱满度和老化程度对防腐层的有效性起着重要的作用,所以应以粘接剂现状作为检查重点。

4.6.2 聚合物防腐蚀层,在防腐层完好的前提下可以有效地防护烟囱筒身,但出现局部破损后,酸液会从缺陷部位向内渗漏,所以应重点检查是否存在局部破损部位。

4.6.3 耐腐蚀合金防腐层主要检查表面颜色均匀性,是否存在局部色差、焊缝开裂、渗液、局部鼓泡、孔洞等缺陷。

5 地基基础检测

5.0.1 地基承载力的大小按现行国家标准《建筑地基基础设计规范》GB 50007 中规定的方法进行确定。

5.0.2 当地基基础资料不全时,若上部荷载无变化,且筒身及支承结构无沉降裂缝和倾斜等不良现象,证明基础使用状况良好,可不用开挖进行检测。

当基础沉降尚不稳定或有不均与沉陷或有腐蚀和烧损等情况时,应对基础结构进行开挖检测。

5.0.3 地基土渗透腐蚀是指烟囱排放产生的腐蚀液渗入土层后,对烟囱基础产生腐蚀破坏。现场采用取土样化学分析的方法检测地基土的受腐蚀深度,若地基土渗透腐蚀到达基础,则需对基础的受腐蚀程度进行检查。

6 筒壁与支承结构检测

6.1 一般规定

6.1.1 抽样数量和检测方法主要是依据现行国家标准《建筑结构检测技术标准》GB/T 50344 关于检测方法和抽样方案的相关要求,同时也应考虑烟囱检测工作属于高危作业,在满足安全的前提下对抽样部位可以根据结构实际情况进行适当调整,但取样部位应该具有代表性。

6.1.2 根据以往现场检测的数据分析,由于烟囱属于高耸构筑物的特点,一般上部结构施工质量比下部的施工质量差,因此筒壁尺寸的检查重点应针对上部质量进行复核检查,检查方法可以采取无损检测或芯样检测等方法。

6.1.3 由于烟囱结构属于悬臂式高耸构筑物,烟囱的倾斜对烟囱的承载能力和使用影响较大,烟囱的倾斜原因主要是施工原因和地基变形,一般情况下地基变形周期较长,因此对于地基变形的倾斜需要进行长期沉降观测。

6.1.5 损伤严重的构件可能已经失效,对结构的承载能力会造成严重影响,因此需要进一步确定严重损坏程度和损坏原因以及对结构局部或整体的影响程度。为后续的处理建议提供有效依据。

6.1.6 结构的自振频率变化不仅能反映结构损伤情况,而且还能反映结构整体性能和受力体系的改变,通过结构自振频率的变化,可以分析结构的结构性能,评价结构工作状况。

6.2 材料检测

6.2.1 采用钻芯修正法时,宜选用修正量的方法,也可采用其他形式的修正方法。芯样应从烟囱筒壁上随机抽取,混凝土芯样试件的直径和钻芯数量应符合相应技术标准的要求。

考虑到计算单元(单独构件)的划分,烟囱每节单元主要是按照相邻两牛腿之间的距离进行确定。

6.2.2 砌体强度检测要求取样检测的块材试样和块材的回弹测区,外观质量应符合相应产品标准的合格要求,不应选择受到灾害影响或环境侵蚀作用的块材作为试样或回弹测区,块材的芯样试件,不得有明显的缺陷。

砌筑砂浆强度非破损检测方法,如回弹法、射钉法、贯入法等;取样检测方法,如推出法、筒压法、砂浆片剪切法、电荷法等。

需要依据砌筑块材强度和砌筑砂浆强度确定砌体强度时,砌筑块材强度的检测位置宜与砌筑砂浆强度的检测位置对应;对于砌体质量明显较差不满足现行国家标准《烟囱工程施工及验收规范》GB 50078 要求的结构构件,应增加抽样数量。

6.2.4 基于玻璃钢材料本身对外力冲击、应力集中的敏感性以及确保玻璃钢烟囱的完整性,应采用无损检测方法检测玻璃钢烟囱的各种性能指标。

将壁厚检测结果与设计图纸、竣工图纸、使用环境条件等相对照,用以评估玻璃钢烟囱在使用过程中内外表面劣化、减薄的速率。

6.4 垂直度、裂缝与变形检测

6.4.1 烟囱筒体垂直度测量的具体检测方法可参照《建筑变形测量规范》JGJ 8 中的相关规定。相对于筒底,烟囱的倾斜最大点一般情况下位于筒顶,因此对于整体倾斜需测定烟囱顶部相对于筒底部的倾斜量和方向,但也需测定筒身其他部位相对于筒底的倾斜量和方向,以检测筒身变形的不均匀程度。

6.4.2 对钢结构筒壁的所有焊缝都应进行外观检查,焊缝的外形尺寸和外观缺陷检测方法和评定标准,应按现行国家标准《钢结构工程施工质量验收规范》GB 50205 确定。

6.4.3 结构的整体可参照本标准第6.4.1条和相关技术标准进行检测。结构变形可用观察和尺量的方法检测，并考虑结构不均匀沉降、倾斜和开裂的影响。套筒式和多管式烟囱采用分段支撑或悬挂内筒时，支撑钢梁应进行变形检测。钢筒壁的弯曲变形和板件凹凸等变形情况，可用观察和尺量的方法检测，量测出变形的程度；变形评定，应符合相关技术标准的规定。

6.4.4 损伤是环境因素、灾害因素、施工质量缺陷和腐蚀侵蚀等因素造成的，应对这类损伤进行现场检测。

7 内衬(筒)与隔热层检测

7.0.1 隔热层可采用钻芯的方法进行检测,钻芯穿透烟囱筒壁,对隔热层厚度及填充情况进行检测,并通过取样化学分析的方法对隔热层的受腐蚀程度进行检测。

采用红外测温的方法测定烟囱外表面温度,在温度异常区域进行钻芯,确认隔热层的工作性能。对腐蚀较严重位置钻芯,判断隔热层的完整程度和隔热效果。

内衬可采用高精度红外成像仪进行外观质量检测,能够比较精确地确定受腐蚀程度和受腐蚀点的部位。

7.0.3 套筒式烟囱包括单管及多管烟囱,当内筒存在明显倾斜、摆动、震动,荷载变化,相对位置偏移和损伤等情况时,应对内筒的动力特性进行检测。

8 附属设施检测

8.0.1 附属设施包括筒首铸铁盖板、伸缩节、爬梯和围(护)栏、信号平台、积灰平台、避雷装置、航空标志、缆风绳及其他预埋件等。

9 腐蚀检测

9.1 混凝土烟囱腐蚀检测

9.1.2 半电池电位法以及电位梯度法均为定性测试方法,必须依据表面锈胀裂缝以及碳化深度综合判断钢筋锈蚀程度。

9.1.3 混凝土碳化本身对烟囱承载力无显著影响,但会破坏钢筋表面的钝化膜从而引起钢筋锈蚀,测试碳化深度主要用来综合判断钢筋锈蚀程度和评估烟囱筒壁的耐久性年限。

酸液对混凝土的腐蚀分为两个阶段:第一阶段是使混凝土中性化(类似于大气环境中混凝土的碳化),第二阶段则是腐蚀混凝土从而导致承载力的降低。

酸液腐蚀深度主要从筒壁内侧测量,被酸液腐蚀的混凝土一般会发生颜色变化,质地疏松。

9.2 钢烟囱(钢内筒)腐蚀检测

9.2.2 除了烟囱竣工验收时有初始厚度数据,以后在使用过程中不会对壁厚进行日常测试。当检测工期较短时,可通过测量剩余厚度,结合考虑工艺是否变化等综合推断某一时间段内的平均腐蚀速率。将腐蚀速率与钢烟囱的剩余壁厚相对照,可以用来推断钢烟囱(钢内筒)的剩余使用年限,一般用 mm/a 表示。

9.4 玻璃钢烟囱腐蚀检测

9.4.2 玻璃钢学名玻璃纤维增强聚合物,其中玻璃纤维是玻璃钢结构的承载物,玻璃钢制品为各向异性承载方式。因此,如果对玻璃钢烟囱直接采用类似于钢内筒的取样检测方式,很可能导致取样部位玻璃钢烟囱的局部受力传递中断或应力集中,影响玻璃钢烟囱的使用安全性和使用寿命。

9.5 防腐蚀层腐蚀检测

9.5.1 烟囱防腐层的完好程度直接决定烟囱结构的工作环境和使用寿命。本节的内容是在总结前一阶段脱硫烟囱防腐蚀材料和施工技术的基础上,借鉴这些材料在其他防腐蚀领域的相关应用经验和检测结果编写而成。

本标准所指的发泡块材类防腐蚀内衬,系指利用粘接剂将一定规格的发泡块材粘贴到烟囱内衬内表面所形成的防腐蚀内衬。其中发泡块材包括发泡玻璃砖、发泡陶瓷砖两类。

9.5.3 本标准所指聚合物防腐蚀层内衬,系由耐腐蚀、耐高温有机高分子聚合物,通过喷涂或手工刮抹的方式,在烟囱内衬内表面所形成的、厚度不低于 2.5mm 的整体性防腐蚀内衬。

防腐涂料内衬,是通过多层施工、将每层可能存在的缺陷相互遮盖而达到长期防腐蚀寿命的。因此,涂层厚度及其贯通性缺陷情况,将直接决定内衬的使用寿命。

9.5.6 本标准所指的耐蚀合金复合内衬,主要是指钛合金挂板式内衬、钢-钛复合板内衬。耐硫酸露点腐蚀钢的实际应用结果表明,其耐腐蚀性能与碳钢相近,因此不单独考虑其耐腐蚀性能,仅仅将其看作钢内筒材质处理。

9.5.7 耐酸浇注料在施工过程中影响工程质量的因素太多,工程质量难以控制,在国内脱硫烟囱中的使用结果表明,不适合于脱硫烟囱的运行工况。但是,由于国内已建造有 10 多座这类烟囱内衬,因此,本标准还是将其列入检查内容。

10 结构分析与校核

10.0.2 本条对烟囱结构分析与校核作出规定。

4 关于结构构件材料强度的取值。当材料的种类和性能符合原设计要求时,可取原设计标准值;当材料的种类和性能与原设计不符或材料性能已经显著退化时,应根据实测数据按国家现行有关检测技术标准的规定确定,如《建筑结构检测技术标准》GB/T 50344、《回弹法检测混凝土抗压强度技术规程》JGJ/T 23 等。

5 关于温度对材料的力学性能影响。当烟囱混凝土筒壁表面温度长期高于 60℃,钢筒表面温度长期高于 100℃,材料性能会有所降低,应考虑温度对材料力学性能的影响,可参考现行国家标准《烟囱设计规范》GB 50051 取值。例如,根据《烟囱设计规范》GB 50051,温度 60℃时,C25 混凝土的轴心抗压、轴心抗拉折减系数分别为 0.85 和 0.80,弹性模量折减系数为 0.85。

11 鉴定评级

11.1 地基基础

11.1.1 在进行地基基础的安全性评定时,宜首选按烟囱现状和地基变形观测资料的方法评定。当地基变形观测资料不足或结构存在的问题怀疑是由地基基础承载力不足所致时,其等级评定可按承载力项目进行。

对斜坡场地上的烟囱进行评定时,边坡的抗滑稳定性计算可采用瑞典圆弧法等方法,对场地的检测评价可参照国家现行规范的要求。

11.1.2 观测资料和工程实践及理论研究表明,当沉降速率小于每天 0.01mm 时,可认为地基沉降进入了稳定变形阶段,一般来说,地基不会再因后续变形而产生明显的差异沉降。

当缺少地基变形观测资料时,可通过烟囱本身的现状及烟囱与烟道的相对变形、位移判定基础的安全性。

11.1.3 在需要按承载力评定地基基础的安全性时,考虑到基础隐蔽难于检测等实际情况,不再将基础与地基分开评定。对地基承载力的确定应考虑基础埋深、宽度以及建筑荷载长期作用的影响;对于基础,分析验算其受冲切、受剪、抗弯和局部承压的能力。在验算地基基础承载力时,烟囱的荷载大小按结构荷载效应的标准值组合取值。

11.2 筒 壁

11.2.3 烟囱属于长悬臂构件,其筒壁出现环向裂缝对烟囱的承载力有较大的影响,因此,对于烟囱出现此类裂缝,一般评级为 c 级或 d 级。

11.2.7 由于裂缝情况复杂,裂缝的危害性和发展速度会有很大的差别,因温度、收缩引起的裂缝与受力裂缝就有很大差别等,故允许有实践经验者根据具体情况适当调整评定等级。a级与现行设计规范允许值一致,b级钢筋无明显腐蚀风险、裂缝未贯穿筒壁,可不予处理。

11.2.8 烟囱的筒壁倾斜评定等级 a 级与现行施工验收规范允许的倾斜偏差一致。b级、c级主要基于烟囱筒身倾斜的调查资料及筒壁的开裂,制定评级标准。本标准将筒壁的每一节划分为一个计算单位作为一个构件,但对筒壁的倾斜评定项目是将筒壁整体视为一个构件。

11.5 腐蚀评定

11.5.1 腐蚀对于烟囱来说,是一种常见且会对结构安全造成一定影响的损伤。因此,在本标准中将其作为一个单独的项目列出。在制定腐蚀项目的分级标准时,对不同材料的烟囱作出了不同的规定。

11.5.2 本条的评分标准主要是依据以往的工程经验确定的。引起钢筋混凝土烟囱腐蚀的因素很多,本条根据主要的影响因素,考虑到不同因素对烟囱的腐蚀破坏影响程度不同,根据不同的权重,确定了扣分标准。

11.5.3 对于砌体烟囱,腐蚀评定主要考虑了腐蚀的范围、最大腐蚀深度和发展趋势,表格中所列的最大腐蚀深度的限值是根据工程经验制定的。

11.5.4 钢烟囱的腐蚀对构件的截面有所削弱,如已经出现严重腐蚀,致使截面削弱,材料性能降低,应考虑其承载能力问题。

12 综合鉴定评级

12.0.2 烟囱的可靠性综合鉴定评级是在该鉴定单元结构系统可靠性评级的基础上进行的,其中结构系统的评级结果 A、B、C、D 四个级别分别对应鉴定单元的综合鉴定结果一、二、三、四的四个级别。综合鉴定评级的原则以地基基础和上部承重结构为主,兼顾内衬与隔热进行综合判定,以确保烟囱的正常使用。

13 鉴定报告

13.0.1 本条规定了烟囱鉴定报告的基本内容,烟囱的可靠性鉴定内容应当满足本标准的规定。

13.0.2 本条在第13.0.1条规定鉴定报告内容的基础上,又明确规定了鉴定报告编写应符合的要求,以保证鉴定报告的质量。

14 检测作业安全

14.1 检 测 人 员

14.1.1 本条规定应对参加烟囱检测的人员进行安全教育,使其了解本工程检测特点,熟悉岗位的安全技术操作规程,并通过考核合格后上岗工作,所有登高作业人员都必须持证上岗,并定期进行培训及进行安全知识更新教育。

14.1.3 从事烟囱检测的人员一般应每年体检一次。烟囱检测的人员,必须年满18岁,身体健康,不得聘用患有高血压、贫血症、严重心脏病、精神症、癫痫病、恐高症、深度近视眼在500度以上的人员,以及经医生检查认为不适合高处作业的人员。

14.2 安 全 措 施

14.2.2 烟囱筒身现状主要是指爬梯、扶梯、平台、栏杆等组成通行的通道的安全情况,要对其锚固、锈蚀及缺损现象进行全面的检查验收。

14.2.3 吊篮等起重提升系统的设备,应做好日常维保和记录。悬挂机构的结构件应选用钢材或其他适合的金属材料制造,其结构应具有足够的强度和刚度。随机档案应包括生产许可证、合格证、监督检验报告等。

14.2.5 恶劣天气时不应进行烟囱检测,停工前做好防护措施,操作台上人员撤离,应对设备、工具、零散材料及可移动的铺板等进行整理、固定并做好防护,全部人员撤离后立即切断通向操作平台的供电电源。

雨天和雪天进行检测作业时,必须采取可靠的防滑、防寒和防冻措施。水、泥、冰、霜、雪均应及时清除。当结冰、积雪严重而无法清除时,应停止检测作业。

14.2.7 烟囱检测人员一般应配备工具袋,使用的小型工具均应装入工具袋内,不应在钢管上或脚手架上随意放置工具。检测样品应包装好并予以固定。

14.2.9 当需要夜间检测时,检测区域及工作台、内外吊梯、钢管竖井架、卷扬机房以及各运输通道等处,应设置充足的照明。